Texte : Gilles Tibo
Illustrations : Philippe Germain

Alex, un gros zéro ?

À PAS DE LOUP

Niveau

3

Je dévore les livres

Dominique et compagnie

À pas de loup avec liens Internet

www.dominiqueetcompagnie.com/pedagogie
ouvre la porte à une foule d'activités pour les enfants,
les parents et les enseignants. Un véritable complément
à l'apprentissage de la lecture !

**Catalogage avant publication
de Bibliothèque et Archives Canada**

Tibo, Gilles, 1951-
Alex, un gros zéro ?
(À pas de loup. Niveau 3, Je dévore les livres)
Pour enfants.
ISBN 978-2-89512-556-3

I. Germain, Philippe, 1963- . II. Titre. III. Collection.
PS8589.I26A83 2006 jC843'.54 C2006-941017-8
PS9589.I26A83 2006

Directrice de collection : Lucie Papineau
Direction littéraire : Carole Tremblay
Direction artistique et graphisme :
Primeau & Barey
Dépôt légal : 1er trimestre 2007
Bibliothèque et Archives nationales
du Québec
Bibliothèque nationale du Canada

Dominique et compagnie
300, rue Arran, Saint-Lambert
(Québec) Canada J4R 1K5
Téléphone : 514 875-0327
Télécopieur : 450 672-5448
Courriel : dominiqueetcie@editionsheritage.com
www.dominiqueetcompagnie.com

Imprimé au Canada

10 9 8 7 6 5 4 3 2 1

Nous remercions le Conseil des Arts du Canada de
l'aide accordée à notre programme de publication.

Nous reconnaissons l'aide financière du gouvernement
du Canada par l'entremise du Programme d'aide au
développement de l'industrie de l'édition (PADIÉ) pour
nos activités d'édition.

Nous reconnaissons l'aide financière du gouvernement
du Québec par l'entremise du Programme de crédit d'im-
pôt pour l'édition de livres – SODEC – et du Programme
d'aide aux entreprises du livre et de l'édition spécialisée.

*Pour Gabriel Beauvais,
futur champion de hockey!*

TIBO

Je m'appelle Alex… Habituellement,
je suis le meilleur joueur de hockey du monde.
Habituellement, je déjoue facilement les défenseurs.
Habituellement, je peux marquer plus de mille
buts par jour. Mais aujourd'hui, je ne comprends
pas ce qui m'arrive. On dirait que mes chaussures
ne veulent plus courir et que mon bâton ne veut
plus toucher la rondelle.

À la fin de la deuxième période, c'est trente-cinq à zéro pour l'équipe adverse.

Pendant la pause, mes coéquipiers me demandent :
– Alex, que t'arrive-t-il, aujourd'hui ?
Je réponds :
– Je ne sais pas !

Découragé, je lance mes souliers et mon bâton
sur le toit d'un garage. Je passe le reste du match
sur le banc. Nous perdons par
la marque de cinquante-cinq
à zéro.

Après le match, mes coéquipiers se sauvent à toutes jambes. L'autre équipe s'éloigne en jubilant. Je n'ai plus le goût de jouer... Je reste seul. Dans mon imagination, la ruelle ne se transforme plus en patinoire comme avant. Les clôtures ne deviennent plus des gradins et je n'imagine plus la foule qui me crie « HOURRA ! BRAVO ! »

Je dois me rendre à l'évidence : je n'aime plus le hockey et le hockey ne m'aime plus. C'est la fin de ma carrière...

Je reviens chez moi pieds nus. Arrivé à la maison, je ramasse mes vieux bâtons de hockey, mes vieux chandails de champion, mes revues, mes affiches et mes cassettes vidéo de hockey… Je jette tout à la poubelle.

Le gros camion d'ordures tourne le coin de la rue. Il s'approche. Pour ne pas voir les éboueurs emporter mes souvenirs, je me sauve dans ma chambre. Je m'étends sur mon lit… Après quelques minutes, les yeux pleins d'eau, je regarde le trottoir. Il est vide, vide, vide… Toutes mes choses ont disparu.

Comme je ne suis plus un joueur de hockey,
je passe le reste de la journée à ne rien faire.
Je regarde la télévision. Je mange du chocolat,
des croustilles, du maïs soufflé, des bonbons,
du fromage en grains… Je bois du lait, de la
limonade, des boissons gazeuses, et j'ingurgite
du jus à saveur d'imitation de jujube…

Mon père me demande ce qui m'arrive.
Je ne réponds rien. Ma mère me demande
si j'ai besoin d'aide. Je ne réponds pas.

Le lendemain, DRING ! DRING ! DRING ! Mes amis
m'appellent l'un après l'autre. On m'invite à jouer
au hockey dans la ruelle derrière chez Martine,
dans le garage de Mathieu, dans le gymnase
de l'école. Je décline toutes les invitations. Même
chose le lendemain, le surlendemain et le sur-
surlendemain… Pendant tout ce temps, je réfléchis
à ma vie… Il faut que je me trouve une autre
passion. Oui, mais laquelle ?

J'essaie de devenir champion de course à pied, mais je ne comprends pas pourquoi il faut courir lorsqu'il n'y a pas de mise en jeu, pas de but à marquer, pas de joueur à plaquer… La course à pied, pour moi, c'est zéro.

Je veux devenir champion de natation, mais j'ai toujours l'impression que la piscine est une patinoire qui a fondu. La natation, pour moi, c'est zéro.

Je tente de devenir champion de cyclisme, mais à chaque coup de pédale je donne des coups sur le guidon, comme si je tenais un bâton. Le vélo, pour moi, c'est zéro.

J'aimerais devenir champion de gymnastique, mais chacun de mes mouvements ressemble à celui d'un patineur... La gymnastique, pour moi, c'est zéro.

Je voudrais jouer au tennis, mais je suis trop habitué à jouer au hockey. À chaque coup, je lance la balle dans le filet. Le tennis, pour moi, c'est zéro.

Je fais des efforts inouïs pour jouer au football, mais j'oublie toujours que c'est avec mon pied que je dois frapper le ballon. Le football, pour moi, c'est zéro.

Comme je suis un gros zéro dans tous ces sports,
je décide d'essayer autre chose. Je voudrais devenir
un champion d'échecs, mais je ne comprends
pas pourquoi le roi et la reine n'ont pas de gros
numéros dans le dos. J'aimerais devenir champion
de magie, mais je ne réussis jamais à faire
apparaître des rondelles… J'essaie de devenir
champion de la construction de châteaux de cartes,
mais mon château s'écroule tout le temps. Tout
ça, pour moi, c'est zéro.

J'essaie de devenir un artiste, mais je ne réussis
qu'à dessiner d'horribles chandails. J'essaie
de chanter, mais toutes mes chansons se terminent
par : « Et c'est le but ! »

J'essaie d'écrire un gros roman, mais j'écris toujours la même histoire : celle d'un petit gars qui s'ennuie de plus en plus du hockey.

Couché sur mon lit, je passe de longues heures à fixer le plafond de ma chambre.

Soudain, DRING ! DRING ! DRING ! La sonnerie de la porte d'entrée résonne dans la maison. Je vais ouvrir et je sursaute. Toute mon équipe de hockey m'attend sur le trottoir. On me crie :
– ALEX ! VIENS JOUER AVEC NOUS !

Le cœur battant, je dis :
– Heu… je ne peux pas jouer… Heu… je n'ai plus d'équipement !

Gros Bob ouvre un grand sac. J'aperçois à l'intérieur mes vieux bâtons, mes chandails, mes revues, mes affiches, mes cassettes. Gros Bob me dit :
– Je les ai ramassés juste avant les éboueurs !

La belle Sarah ajoute avec son plus beau sourire :
– Et moi, je te rapporte tes souliers et le bâton
que tu avais lancés sur le toit du garage…

Puis elle poursuit en me donnant un bisou :
– Il nous manque le meilleur joueur de hockey
du monde !

Entraîné par Sarah et toute
mon équipe, je cours jusqu'à
la ruelle. Je m'empare de
la rondelle et, soudainement,
tous les sports que j'ai essayés
me reviennent en mémoire.
Je sautille comme un
coureur à pied.

Je fais de grands mouvements comme ceux d'un
nageur. Je me penche comme un coureur cycliste.
Je fais rebondir la rondelle comme un joueur de
tennis. Je pivote sur mes pieds comme un joueur
de football. J'évite les pièges comme un joueur
d'échecs. Je deviens aussi agile que le pinceau
d'un grand maître.

Me voilà un véritable magicien du bâton. L'équipe adverse s'écroule comme un château de cartes. Et je chante « C'est le but ! » toutes les vingt secondes.

Finalement, le hockey, c'est mon sport préféré !